聖体の秘跡

SACRAMENT OF THE EUCHARIST

ご聖体を受ける意味を知る

JN081159

ドン・ボスコ社

サレジオ会司祭　関谷義樹

　ミサは食卓です。

　イエスは、共に食事をすることを大切にしました（マタイによる福音書9章10〜11節参照）。食事は、人間にとって単なるエネルギー摂取や、料理を味わうだけのものではなく、家族や仲間と食卓を囲み、共にいることを味わう交わりの場、一致の時間です。

　ミサという食卓において、私たちは神と共に食事をします。そこにおいて、神が共にいること、そして、神の前に私たちが共にいることを味わうのです。

　主イエスはすすんで受難に向かう前に、パンを取り、感謝をささげ割って弟子に与えて仰せになりました。

　「皆、これを取って食べなさい。これはあなたがたのために渡されるわたしのからだである。」

食事の終わりに同じように杯（さかずき）を取り、感謝をささげ弟子に与えて仰せになりました。

　「皆、これを受けて飲みなさい。これはわたしの血の杯、あなたがたと多くの人のために流されて罪のゆるしとなる新しい永遠の契約の血である。これをわたしの記念として行いなさい。」

（ミサ式次第　第二奉献文より）

　驚くことにイエスは、ミサにおいてご自身（聖体）を私たちに食べさせます。ここに、私たちに食べられてまで、神が私たちと一致したいという思いが込められています。そして同時に、これを共に食べる私たち人間同士も一致してほしいという神の思いが込められています。その思いを受け止めてはじめて、私たちは聖体を霊的な歩みを続けるための糧としていただくことができます。なぜなら、その糧は一致のためのエネルギー、愛のためのエネルギーであるからです。

　あらためて、ミサという食卓にあずかる意味、聖体をいただく意味を深く味わっていきましょう。

目次

びととともに食卓を囲む教皇

5年11月10日イタリア・フィレンツェ
タス運営のサン・フランシスコ・ポヴェリーノ
しき聖フランシスコ）食堂にて

キリストの聖体

　イタリアと多くの国では、キリストの聖体の祭日が今日、この主日に祝われます。この祭日は、しばしば、「コルプス・ドミニ」、「コルプス・クリスティ」というラテン語名で呼ばれています。教会共同体は、イエスが残してくださったもっとも大切な宝をあがめるために、聖体を囲み集まります。

　ヨハネによる福音書には、イエスがカファルナウムの会堂で「いのちのパン」について話したことばが記されています。イエスは断言しています。「わたしは、天から降って来た生きたパンである。

5

このパンを食べるならば、その人は永遠に生きる。わたしが与えるパンとは、世を生かすためのわたしの肉のことである」（ヨハネ6・51）。イエスは、何かを与えるためにこの世に来たのではなく、ご自分を信じるすべての人の食べ物として、自分自身を、そのいのちを与えるためにこの世に来たと強調しておられます。主の弟子であるわたしたちは、このように主と交わることを通して、行いをもって、他者のために裂かれたパンとならなければなりません。真にご自分の肉であるパンを裂いた師であるかたに倣うのです。わたしたちにとってそれは、隣人に惜しげなく尽くすことを意味します。それは、他者のために自分のいのちを裂く姿勢の表れです。

　わたしたちがミサにあずかり、キリストのからだに養われるたびに、イエスと聖霊がわたしたちの中で働き、わたしたちの心を形づくり、福音にかなった行いに表れる心の持ち方を示します。まずはみことばに従い、それから兄弟愛を深め、キリストをあかしする勇気をもち、愛の創造性を発揮し、失望している人に希望を与え、排除された人を受け入れます。そうすれば、聖体によってキリスト者の生活は成熟します。開かれた心で受け入れたキリストの愛によって、わたしたちは変えられ、造り変えられます。人間の限られたはかりではなく、神のはかりに従って愛せるように変えられるのです。それでは、神のはかりとはどのようなものでしょうか。神のはかりには限りがありません。神のはかりには目盛がありません。全部、全部、全部です。神の愛をはかることなどできません。神の愛は、はかりしれません。そしてそのとき、わたしたちは自分

を愛していない人をも愛せるようになります。それは容易なことではありません。自分を愛していない人を愛することは、簡単ではありません。なぜなら、もし、だれかが自分を愛していないことが分かれば、自分もその人を愛さないようになるからです。それではいけません。自分を愛していない人も愛さなければなりません。わたしたちは、善をもって悪に対抗し、ゆるし、分かち合い、受け入れなければなりません。イエスとイエスの霊のおかげで、わたしたちのいのちも兄弟姉妹のために「裂いたパン」となります。このように生きることを通して、わたしたちは真の喜びを見いだします。それは、自分自身を贈り物としてささげる喜びです。それは、わたしたちは何もしていないのに、最初から与えられていたすばらしい贈り物をお返しする喜びです。これは美しいことです。わたしたちのいのちが贈り物になるのです。それはイエスに倣うことです。わたしはここで、二つのことを思い起こしたいと思います。第一に、神の愛のはかりとは、はかることなく愛することです。分かりますか。そして、ご聖体をいただき、イエスの愛とともにあるとき、わたしたちのいのちは贈り物になります。イエスのいのちと同じように。これら二つのことを忘れないでください。神の愛のはかりは、はかることなく愛すること。そして、イエスに従うことは、聖体とともに自分のいのちを贈り物にすることです。

2014年6月22日の「お告げの祈り」のことば
カトリック中央協議会『教皇フランシスコ講話集2』より

実体変化とは?

聖体に関する神学のお話

　キリストは最後の晩餐（ばんさん）のときに、パンとぶどう酒の満ちた杯
を取り、決して「これはわたしのからだや血のようなものである」
とは言われませんでした。「これはわたしのからだ、わたしの血」
と言われたのです。カトリック教会はこのキリストの言葉を守り、
信じ、聖体の秘跡において、キリストが真に、現実に、実
体的に現存しておられると確信し、宣言しています。

　パンとぶどう酒がイエス・キリストのからだと血に変化する？
考えてみれば実に不思議なことです。教会はこれを「実体
変化」という哲学用語を用いて説明してきました。教会の
文書では以下のように説明しています。

··

　パンとぶどう酒がキリストのからだと血に変わることによっ

て、キリストはこの秘跡に現存するものとなられます。教父たちは、この変化を行うキリストのことばと聖霊の働きとの効力に対する教会の信仰を確固として主張してきました。(『カトリック教会のカテキズム』 1375)

....

　トリエント公会議*は、カトリック信仰を要約してこう宣言しています。「わたしたちの救い主キリストは、パンの形態のもとにささげられたものがご自分の真のからだであると仰せられたので、神の教会が変わることなくつねに信じてきたことを、この聖なる公会議も繰り返して宣言します。すなわち、パンとぶどう酒の聖別によって、パンの全実体がわたしたちの主キリストの実体となり、ぶどう酒の全実体がその血の実体に変化します。聖なるカトリック教会は、この変化をまさしく適切に全実体変化と呼びます」(『カトリック教会のカテキズム』 1376)

* 宗教改革に対処し、カトリック教会を抜本的に改革するために開催された全教会会議 (1545-1563年)。

聖 体 に 関 す る 神 学 の お 話

— 解説 —

イエス・キリストの 切実な愛情の現実化としての パンとぶどう酒

サレジオ会司祭　阿部仲麻呂（あべなかまろ）

　「実体変化」という言葉だけにふりまわされてはいけません。ポイントは、「変化すること」ではないのです。むしろ、「神がなんとかして私たちとともにいたい」という切実な愛情の現実そのものを実際に体験するものがパンとぶどう酒なのです!

　私たちは、ともすると言葉によって真実を見誤ることがあります。別に、パンが身体になるという化学変化を言っているのではないのです。実に、「実体変化」という言葉が指し示している内容は「神が私たちとともにいてくださる事実」なのです。

聖体に関する神学のお話

つまり、主イエス・キリストが、何としてでも私たちとともにいたいという深い愛情の想いで実際にそばにいてくださり、私たちを決して見捨てることがありえないという、かけがえのない現実そのものを表現しているのです。

　昔から、実体変化というときに、カトリック教会では、実際にどのように変化が起こるのかは説明されていません。ポイントは別のところにこそあります。つまり、「ともにおられる神の切実ないつくしみ」が重要です。

　イエスが最後の晩餐の折に、地上での最後の遺言を弟子に託しましたが、その切実なメッセージとは「あなたがたとともに、居続けたい」というものだったのです。死んでも死に切れない、なんとかしてあなたがたと一緒に生きたい。イエスの痛切な想いは「パンとぶどう酒」という形見に凝縮されたのです。毎日食べる当たり前のパンとぶどう酒を用いて、一瞬たりともイエスを忘れることのないように弟子を目覚めさせる意図が込められています。

弟子たちはイエスの死後になって、最後の晩餐のときのイエスの切実な想いに気づきます。そして、イエスの残した言葉とふるまいをそのまま受け継いで忠実に繰り返してきました。それが「ミサ」として今日も教会共同体の私たちによって大切に繰り返されています。

　「なんとかしてあなたがたとともにいたい」という、あまりにも切迫した愛情の想いが凝縮されて、パンとぶどう酒に込められています。だからこそ、パンとぶどう酒にはイエスの想いが圧縮するあまり、それらを食する私たちの血肉と化し、イエスと私たちとが一つのからだであるほどまでに一致する現実となるのです。

　宗教改革以降、プロテスタント教会では聖餐（せいさん）におけるキリストの実存について諸説に分かれましたが*、キリストの犠牲の記念や象徴として説明されるにとどまっています。それに対してカトリック教会はトリエント公会議を開催して、中世以降から理論化されてきた実体変化の見解を最重要事項として

再確認したのです。それは、父である神のいつくしみを体現したイエス・キリストが常に私たちとともに生きていてくださるのが、まぎれもない現実であることを強調するためだったのです。

* 聖餐（エウカリスチア）に関する宗教改革者たちの説は分かれており、現存を主張したルターと、それを否定したツヴィングリとの間では、激しい論争が交わされた。しかし、キリストの現存を認めたルターも、実体変化説を哲学的な思弁として退け、キリストのからだが「パンのうちに、パンとともに、パンのもとに存在する」という説をとった。（『新カトリック大事典』参照）

聖体に関する神学のお話

聖変化、
そして私たちも変えられる

御受難会司祭　国井健宏
（くに　い　たけひろ）

　すべての秘跡は信仰の秘跡です。信仰がなかったら秘跡はありません。例えば、信仰のない人が水を注がれても洗礼にはなりませんし、ご聖体をいただいても、聖体拝領ではありません。秘跡は受ける人の信仰を前提としています。そして、個人の信仰は共同体の信仰を前提としています。そこに集まった人たちの信仰が生き生きとしたものであればあるほど、その共同体で行われる秘跡はもっと恵みが豊かであるということができます。

　秘跡の源、信仰の源は聖霊です。ミサの中のエピクレーシス（聖霊を願う祈り）は、聖霊によってパンとぶどう酒の変化を祈るだけではなく、そのパンとぶどう酒にあずかる私たち

も「聖霊によって一つに結ばれますように」と祈ります。つまり「私たちも変えられますように」と祈るのです。私たちがミサにあずかって、パンとぶどう酒の聖変化があっても、聖体拝領をしない、あるいは共同体のほうはまったく変わらず、ミサの前も後も同じであったなら、それは秘跡ではないのです。秘跡は物の変化ではありません。神の働きが私たちの中に現れることなのです。

確かに昔の要理では聖変化を強調しました。それはとても大事なことです。しかし、もう一つ大事なことは、本当の意味でのミサの聖変化は、パンとぶどう酒の変化だけではなくて、それにあずかる共同体の変化なのです。「共同体の聖変化」、それこそが本物の秘跡なのです。

アウグスチヌスが素晴らしい言葉を残しています。「ふつう、我々が物を食べるときに、それを食べて自分のからだに変えていく。しかし、キリストのからだをいただくときに、我々がキリストのからだに変えられるのである」と。エピクレーシスはこのことを祈ります。ただ、パンがキリストのからだに変えられるだけでなく、私たちもキリストのからだに変えられますよ

うに。それがミサの一番大事なところ、ありがたいところです。私たちが変えられていく、私たちの中にイエスの死と復活の神秘が働いていく、それが秘跡の中心です。私たちが変えられて、キリストのからだとして成長していき、キリストの愛をもたらす者となっていくことができますように。

"いま聖霊によってこの供（そな）えものをとうといものにしてください。
　わたしたちのために主イエス・キリストの
　御からだと御血になりますように。"
"キリストの御からだと御血にともにあずかるわたしたちが
　聖霊によって一つに結ばれますように。"

　　　　　　　　　　　　　　　　　　—エピクレーシス（聖霊を願う祈り）

　　　　　　　　　　　　　　　　　　国井健宏　1932〜2018年

絵で見る

救いの歴史における
パンとぶどう酒

パンとぶどう酒は、イスラエルにおいて代表的な、そして日常的な食べ物、飲み物でした。このもっとも平凡な食べ物、飲み物が聖なるキリストのからだへ変えられることに深い神秘が隠されています。

しかし、神は初めから、突然パンとぶどう酒をキリストのからだとして制定されたわけではありません。その救いの歴史の中で、さまざまなしるしをとおして少しずつ聖体の意味を表されたのです。

BREAD
&
WINE

パンとぶどう酒

パンとぶどう酒は、人間の労働の実りである以上に、神の恵みである「大地の実り」「ぶどうの木の実り」でした。イスラエルの民は、創造主である神に感謝を表すために、大地の初物の中からパンとぶどう酒を供え物としてささげていました。パンとぶどう酒は、神と人間のつながりを表す大切なものであったのです。

読んでみよう！

創世記14章18節
教会は「パンとぶどう酒」をささげた祭司メルキゼデク王の行為が自分たちの献げ物の前表だと考えます。

レビ記2章4節
酵母を入れないパンの献げ物

民数記15章5節、サムエル記上1章24節
ぶどう酒の献げ物

旧約の過越（すぎこし）

酵母を入れないパン、いけにえの小羊、鴨居に塗る血などによって、イスラエルの民は無事エジプトを脱出し、救われました。これらの犠牲は、神がイスラエルの民の上を過ぎ越されたしるしであり、また、イスラエルの民が隷属（れいぞく）（死）から解放されて、約束の地へと過ぎ越すしるしであったのです。こうして彼らは毎年この過越祭を盛大に祝うようになりました。

出エジプト記12章1〜28節
【参考】過越の儀式の食事の後には、ぶどう酒の満ちた杯を取って、神を賛美し、感謝の祈りをささげて飲むようになりました。

マナ
旅人の糧

荒れ野で食べたマナは、イスラエルの民に、自分たちが神のことばの糧（かて）によって生きていることをつねに思い出させます。

出エジプト記16章

申命記8章3節

「主はあなたを苦しめ、飢えさせ、あなたも先祖も味わったことのないマナを食べさせられた。人はパンだけで生きるのではなく、人は主の口から出るすべての言葉によって生きることをあなたに知らせるためであった」

シナイ山における
契約の締結

ここにおける契約の血は、キリストの「新しい契約の血」の前表です。

出エジプト記24章8節

「見よ、これは主がこれらの言葉に基づいてあなたたちと結ばれた契約の血である」

パンの増加の奇跡

「わたしが
いのちのパンである」

多くの人びとに食べさせるため
にイエスがパンを祝福し、裂い
て弟子たちをとおして配られた
パンの増加の奇跡は、キリスト
の聖体の豊かさを前もって表し
ています。

マタイによる福音書
14章13〜21節、15章32〜39節
マルコによる福音書
6章30〜44節、8章1〜10節
ルカによる福音書9章10〜17節
ヨハネによる福音書6章1〜15節

聖体に関するイエスの予告は弟
子たちを分裂させます。「実に
ひどい話だ。だれがこんな話を
聞いていられようか」。イエス
ご自身が与えられる聖体という
贈り物を、信仰をもって受け入
れるかどうかが問われています。
このときに代表してペトロが答
えた言葉を、私たちは信仰宣言
として聖体拝領の直前に唱えま
す。「主よ、あなたは神の子キ
リスト、永遠のいのちの糧、あ
なたをおいてだれのところに行
きましょう」。

ヨハネによる福音書6章22〜71節

聖体の制定

主の復活
「復活をたたえ、
告げ知らせよう」

キリストは、パンとぶどう酒を聖体として弟子たちに食べ、飲むように言われます。キリストはそれらがいけにえとしての意味をもつことを示され、ご自分のいけにえが秘跡のかたちで現存するようにされました。そして、キリストはこのいけにえをすべての人の救いのために十字架上でささげられました。

マタイによる福音書26章21〜30節
マルコによる福音書14章18〜26節
ルカによる福音書22章14〜23節
コリントの信徒への手紙一11章23〜26節

「聖体のいけにえは、救い主の受難と死の神秘を現存させるだけではありません。そこでは、キリストの犠牲に続いて起こった、復活の神秘も現存させられています。生きて復活したかただからこそ、キリストは聖体において『いのちのパン』(ヨハネ6・35,48)、『生きたパン』(ヨハネ6・51)となることができるのです」

(教皇ヨハネ・パウロ二世回勅『教会にいのちを与える聖体』14項)

9 パンを裂くとき

イエスが聖書のことばを説明してくださるとき、弟子たちの心は燃えていきます。つまり信仰が強められます。これがことばの典礼です。そして、その信仰をもって食卓を囲むのが感謝の典礼です。パンを裂くとき「主だ」とわかります。ここに主との出会いがあります。このエマオでの話にミサの原型が表れています。

ルカによる福音書24章13〜35節

10 私たちのミサ

キリスト者が「パンを裂くために」集まったのは、特に週の初めの日、日曜日、イエスの復活の日でした（使徒言行録20章7節）。このころから今日に至るまで、感謝の祭儀は続けられています。

使徒言行録2章42、46節

23

ミサにおける 聖体 7 つの 質問

ミサにおいて司祭は聖別のことばと動作を果たし、
パンとぶどう酒を聖別します。その様子を見てい
ると、疑問に思うことも。ミサでの聖体に関する
7つの質問にお答えします。

「ホスチア」という言葉を聞きますが、どういう意味ですか?

ラテン語で「いけにえ」を表すもので、キリストが、犠牲
にされる過越の小羊であることからきます。
もともとはミサの中で聖別されたパンとぶどう酒をさして
いましたが、次第にパンだけがホスチアと呼ばれるように
なりました。

ミサで用いるパンとぶどう酒は、どんなものでもいいのですか?

「パンは小麦のみから作られ、かつ腐敗の危険の全くないように新鮮なものでなければならない。ぶどう酒は、ぶどうから作られた天然のもので、かつ腐敗していないものでなければならない」「ミサ挙行に際し司祭は、ラテン教会の古来の伝統に従っていかなる場所であっても、無酵母のパンを使用しなければならない」との規定があり、ミサで通常用いるパンとぶどう酒は、この規定に従って作られたものに限ります。

（『カトリック新教会法典』第924条（2）（3）、第926条参照）

パンとぶどう酒、どちらかがないときミサはできますか?

これにも規定があり、極度の必要に迫られる場合でも、一方の材料だけで聖変化することはゆるされず、また、両方の材料があってもミサ以外で聖変化することはゆるされません。（同書第927条参照）

聖体拝領の前に、司祭がパンの小片を杯に入れるのはなぜですか?

古い資料では、まさに一人のキリストのからだと血、一体を成している両形態を一つにすることと解釈されています。このとき、司祭は沈黙のうちに「今ここに一つとなる主イエス・キリストのからだと血によって、わたしたちが永遠のいのちに導かれますように」と唱えています。

聖体を拝領するために準備することはありますか?

聖体拝領はラテン語で「コムニオ(一致するの意)」といいます。聖体拝領はイエスと一致すること、そのためにふさわしい準備が必要です。

① 洗礼を受けて主キリストと結ばれ、教会との交わりの中にあること。

② 神と和解した状態にあること。重大な罪、大罪があるならば、ゆるしの秘跡にあずかりましょう。

③ 聖体拝領前の1時間は、水と薬を除き、食べ物と飲み物を控えること。ただし病人は免除されます。

ご聖体は噛んでもいいのですか?

噛んではいけないという規定はありません。キリストは「食べなさい」と言われました。敬虔な気持ちで拝領することが大切なのです。

ミサ以外で聖体に接する機会はありますか?

例えば次のようなものがあげられます。

聖体訪問

聖櫃に安置されている聖体を信徒が訪問する習慣。ミサの後も聖体のうちに現存されるキリストを訪問し、語らいのひとときをもつのは意義深い。

聖体賛美式

聖体を顕示し、賛美をささげ、最後に聖体によって会衆を祝福する式。

修道院における聖体永久礼拝

修道会によっては、永久または長時間の聖体礼拝が会則に定められ行われている。修道院の共同体全体で、または交代で礼拝する。

聖体行列

顕示台を用いて聖体を奉持し、屋外を巡回する。特にキリストの聖体の祭日に勧められている。

聖体にまつわる
聖人たちのことば

カトリック教会で崇敬・尊敬されている聖人や福者たちは、
聖体をどのように捉えていたのか。
聖体にまつわる聖人たちのことばを紹介します。

聖体を拝領しに来てください。
イエスのもとに来てください。
イエスによって生きてください。
それはイエスのために生きるためです。

聖ヨハネ・マリア・ヴィアンネ
St. Jean-Marie Vianney

わたしは、
わたしのためにこんなにも小さくなってくださった
神様を恐れることなどできません。
神様を愛しています！　なぜなら、
神様は愛といつくしみそのものなのですから。

幼いイエスの聖テレジア（リジュー）
St. Thérèse de l' Enfant Jésus

イエスは毎朝、聖体のうちに来てくださる。

僕はとてもささやかなやり方で、お返しをする。

貧しい人びとを訪れることで。

福者ピエル＝ジョルジョ・フラッサーティ

Bl. Pier Giorgio Frassati

主をお受けしたときは

ご自身と共にいるのですから、

肉体の目を閉じ、霊魂の目を開いて

自分の心の中を見るように努めなさい。

イエスの聖テレジア（アビラ）

St. Teresa de Jesús

しばしば聖体拝領するためには

聖人でなければならないとある人びとはいいますが、

それはほんとうではありません。間違いです。

聖体拝領は聖人のためではなく、

聖人になりたい人のためです。

薬は病人に、食物は弱い人に与えられます。

聖ヨハネ・ボスコ（ドン・ボスコ）

St. Giovanni Bosco

聖体と音楽

セザール・フランク César Frank（1822-1890）

パニス・アンジェリクス（天使のパン）

京都教区司祭 国本静三（くにもとせいぞう）

　フランクの「パニス・アンジェリクス（天使のパン＝聖体）」（テノール独唱とハープ、チェロ、オルガン）は、「3声のミサ曲イ長調Op.12」（1860年作曲、ソプラノ、テノール、バス）の中の一曲ですが、実は1872年に新たに作曲、追加されたものです。ミサの正式な式文ではないのですが、19世紀フランスではこうした聖体に関する曲をミサ曲に組み込むことが一般的に行われていました。ミサの最重要部分、主の最後の晩餐の再現であるパンとぶどう酒の聖変化の後（現在のミサ「信仰の神秘」の箇所）に演奏される音楽で、聖体の秘跡への信仰者の心の祈りです。

　「パニス・アンジェリクス」はフランクが50歳のときの作品ですが、それまでの約30年に及ぶ教会オルガニスト時代を経て、現場で多くのことを得た経験がほとばしり出た曲となりました。そのためか異例に周知された教会音楽であり、今も広く愛される声楽曲です。

　「パニス・アンジェリクス」はフランクにとって運命の女神のほほえみとなったようです。この曲をきっかけに彼はパリ音楽院教授へと推挙抜擢されたのです。しかし、1872年2月1日に予定されていたパリ音楽院教授へのフランクの着任は1873年に延びています。なぜでしょう？フランクがパリ音楽院任用に必要なフランス国籍をもっていないことが判明したからでした。

　一家でベルギーからパリへ移住したとき、フランクの父は1837年に

当時15歳だった息子をパリ音楽院へ入学させるためフランスへと帰化させていたのですが、これは21歳までの期限つきでした。しかしフランク自身は知らされていなかったため、その後約30年間、彼は自分がフランス国民であることを疑いもせずにフランスで過ごしていたのです。そこですぐに再度帰化申請の手続きをとったフランクは、無事パリ音楽院教授に着任できました。

この後、彼の作曲活動は堰を切ったように大きく花ひらき、ピアノと管弦楽のための「交響的変奏曲FWV46」(1885年作曲)、3番目のオペラ「ユルダ FWV49」(1885年作曲)、「ヴァイオリン・ソナタ イ長調 FWV 8」(1886年作曲)、「交響曲二短調FWV48」(1888年作曲)、オルガン曲「3つのコラールFWV38、39、40」(1890年作曲)等の名曲を生み出します。

まさしく大器晩成とは彼のことをいうのでしょう。弟子を愛し、弟子たちから敬愛を受け、謙虚さを失うことのない人で、音楽史的にはフランス近代音楽の祖といえるでしょう。

「パニス・アンジェリクス」の歌詞は、中世最大の哲学者・神学者、何よりもすぐれた信仰者であるドミニコ会司祭トマス・アクィナス (1225〜74) の聖体への信仰が凝縮された祈りの詩です。偉大な両カトリック者の結実を味わってください。

1 天使のパン（聖体）が

人のパンとなる

その天のパンは

（過ぎ越しの）形態を完成させたもの

2 おお、なんとおどろくべきこと

主をいただくとは

わたしはまずしく、低く

ふさわしくない者なのに

訳／国本静三

31

表紙、裏表紙、見返し、P2、14、24～27写真／関谷義樹
P4、8～13絵／ギュスターヴ・ドレ「最後の晩餐」
P5写真／©VATICAN MEDIA
P19～23イラスト／Sr.小林 牧
P20絵／ギュスターヴ・ドレ「シナイ山から降りてきたモーセ」
P29／福者ピエル＝ジョルジョ・フラッサーティの写真
　　　　　　　　© Associazione P. G. Frassati - Roma

※本書は、『カトリック生活』2005年9月号（ドン・ボスコ社）を再編し、書き下ろし（P2、28-31）を含む記事をまとめたものです。

聖体の秘跡
ご聖体を受ける意味を知る

2005年10月1日　初版発行
2020年11月9日　改訂版第1刷発行

企　画　カトリック生活編集部

発行者　関谷義樹

発行所　ドン・ボスコ社
　　　　〒160-0004　東京都新宿区四谷1-9-7
　　　　TEL 03-3351-7041　FAX 03-3351-5430

印刷所　株式会社平文社

ISBN978-4-88626-668-2 C0116